Rendez-vous
avec le président Lincoln

L'auteur : Mary Pope Osborne a écrit plus de quarante livres pour la jeunesse récompensés par de nombreux prix. Elle vit à New York avec son mari, Will, et Bailey, un petit terrier à poil long. Tous trois aiment retrouver le calme de la nature, dans leur chalet en Pennsylvanie.

L'illustrateur : Philippe Masson, né à Rennes en 1965, est issu d'une famille de marins bretons. Actuellement, il vit à Tours avec son amie, et il a deux enfants, Lucas et Mona. Il réalise également les dessins de la série « Les 39 clés » et a réalisé ceux de la série « Le château magique » aux Éditions Bayard.

À Mary Sams

Titre original : *Abe Lincoln at Last !*
© Texte, 2011, Mary Pope Osborne.
Publié avec l'autorisation de Random House Children's Books,
un département de Random House, Inc., New York, New York, USA.
Tous droits réservés.
Reproduction même partielle interdite.
© 2013, Bayard Éditions pour la traduction française
et les illustrations.
© 2017, Bayard Éditions
Deuxième édition – Septembre 2018

Coordination éditoriale : Céline Potard.
Réalisation de la maquette : Karine Benoit.
Illustration de couverture et illustrations intérieures : Philippe Masson.
Colorisation de la couverture : Paul Siraudeau.

Loi n° 49-956 du 16 juillet 1949
sur les publications destinées à la jeunesse.
Dépôt légal : avril 2013 – ISBN : 978-2-7470-4507-0
Imprimé en Espagne par Novoprint

Rendez-vous
avec le président Lincoln

Mary Pope Osborne

Traduit et adapté de l'américain
par Marie-Hélène Delval

Illustré par Philippe Masson

bayard jeunesse

Léa

Prénom : Léa

Âge : neuf ans

Domicile : près du bois de Belleville

Caractère : espiègle et curieuse

Signes particuliers : ne manque jamais une occasion d'entraîner son frère Tom dans des aventures mouvementées, sans se soucier du danger.

Tom

Prénom : Tom

Âge : onze ans

Domicile : près du bois de Belleville

Caractère : studieux et sérieux

Signes particuliers : aime beaucoup
les livres, qui l'aident à se sortir
de situations périlleuses.

Les quarante et un premiers voyages de Tom et Léa

Tom et Léa ont découvert dans le bois de Belleville, perchée en haut d'un chêne, une cabane pleine de livres. C'est une

cabane magique !

Elle appartient à la fée Morgane, une magicienne et une célèbre bibliothécaire qui voyage à travers le temps et l'espace pour rassembler des livres.

Nos deux jeunes héros ont déjà vécu des **aventures extraordinaires** ! Il leur suffit d'ouvrir un livre, de poser le doigt sur une image en souhaitant se trouver à l'endroit représenté, et ils y sont aussitôt transportés !

Dans le dernier tome,
souviens-toi :

Pirlouit est changé en pierre, depuis que Teddy lui a jeté un sort par mégarde. Pour rendre son apparence au petit manchot, Tom et Léa doivent trouver quatre objets. Leur deuxième mission les a menés en haut des Alpes suisses à l'époque de Napoléon Bonaparte, à la recherche d'une fleur blanche et jaune. Un moine la leur a offerte.

Nouvelle mission

Tom et Léa
partent aux
États-Unis

pour trouver
une plume !

Sauront-ils éviter tous les dangers ?

Lis vite

ce nouveau « Cabane Magique » et aide
nos deux héros à mener à bien la mission
que Teddy et Kathleen leur ont confiée !

Prêt à suivre Tom et Léa
dans leurs dangereuses aventures ?

Bon
voyage !

Le troisième objet

Léa entrouvre la porte et jette un coup d'œil dans la chambre de son frère. Elle chuchote :

– Tu es prêt ?

– Oui, souffle le garçon.

Même s'ils ne partent à l'école que dans deux heures, ils sont habillés. Tom met son carnet et son crayon dans son sac à dos. En chaussettes, baskets à la main, il rejoint sa sœur sur le palier. Ils passent devant la chambre de leurs parents sur la pointe des pieds, descendent l'escalier.

Dans l'entrée,
ils enfilent leurs chaussures
et leur blouson. Ils sortent. Dehors, tout
est silencieux. Seule une petite pluie fine
bruisse doucement. Tom hésite :

– On devrait peut-être mettre nos cirés ?

Léa désigne une petite tache bleue entre les nuages :

– Ça va s'éclaircir.

– Alors, dépêchons-nous !

Les enfants s'élancent en courant. Les voilà sur le trottoir. Le temps qu'ils arrivent dans le bois de Belleville, la pluie a cessé. Des rayons de soleil vaporeux traversent les branches humides.

Tom et Léa sont bientôt devant le plus haut chêne. Les gouttes d'eau accrochées à ses feuilles étincellent, et la cabane magique est là, dans la lumière matinale.

– Elle nous attendait ! s'écrie la fillette. J'en étais sûre.

Elle empoigne l'échelle de corde et commence à grimper. Son frère la suit. Une fois dans la cabane, ils regardent autour d'eux.

Les deux objets qu'ils ont rapportés de leurs précédentes missions sont là, dans un coin : l'émeraude en forme de rose, la fleur blanche et jaune.

– Teddy et Kathleen nous ont envoyé quelque chose, fait remarquer Léa.

Sur le plancher sont alignés un papier plié, une minuscule bouteille bleue et un livre. Tom s'en empare. Sa couverture est ornée d'une photo ancienne, en noir et blanc, représentant un bâtiment imposant. Les enfants l'ont déjà vu à la télé.

– Tiens, on dirait la Maison-Blanche, à Washington, observe Tom.

Puis il découvre le titre de l'ouvrage et s'exclame :

– Oh ! C'est un livre sur Abraham Lincoln ! Tu sais, cet ancien président des États-Unis !

– Ah, oui ! Il est très célèbre. J'aimerais bien le rencontrer.

Le garçon soulève la couverture. Sur la première page, il lit :

Abraham Lincoln fut président
des États-Unis d'Amérique de mars 1861
jusqu'à son assassinat en avril 1865.
Il dirigea le pays lors de la terrible guerre
civile qui opposa les États du Nord
à ceux du Sud, qui voulaient garder leurs
esclaves noirs.
Il sut préserver l'unité de la nation
et abolit l'esclavage.

– Abraham Lincoln ! répète Tom en
refermant le livre. Tu crois que c'est lui
qui va nous aider dans notre nouvelle
mission ? Qu'il nous permettra de trouver
le troisième objet pour briser le sortilège
qui a transformé Pirlouit en statue ?

– Pourquoi pas ? Attends un peu ! Teddy
et Kathleen nous ont laissé aussi ça…

Léa ramasse la fiole et le papier. Elle le
déroule et lit :

Un troisième objet il vous faut encore :
Une simple plume pour briser le sort.
Des mains d'un héros sachez la recevoir
Et de votre main rendre l'espoir,
Afin que sa patrie soit enfin guérie !

– Encore une énigme en forme de comptine, constate Tom.

– Le héros, c'est Abraham Lincoln, parie sa sœur.

Parcourant de nouveau le papier des yeux, elle résume :

– Donc, il nous donnera une plume. Et nous, on lui rendra l'espoir.

– C'est plutôt confus…

– Chaque fois qu'on est partis en mission, tout avait l'air confus, rappelle-toi ! Et, à la fin, tout s'expliquait.

– C'est vrai. Mais, pour le moment, cette comptine ne nous aide pas beaucoup. La petite bouteille doit contenir une potion. Qu'est-ce qui est écrit sur l'étiquette ?

Léa examine la fiole :

Buvez une gorgée en prononçant un seul souhait qui vous aidera dans votre mission. N'oubliez pas : faites confiance à la magie !

– Un seul souhait ? Mais ça peut être n'importe quoi…, grommelle Tom.

Sa sœur hausse les épaules :

– Il suffit de faire confiance à la magie !

– OK, on essaiera !

Tandis que Tom range la fiole et le papier dans son sac, Léa récapitule :

– Bon, on a tout ce qu'il nous faut : le livre, les consignes, une petite dose de magie. On y va ?

– On y va, acquiesce le garçon.

Il pose le doigt sur la couverture du livre et prononce la formule habituelle :

– Nous souhaitons être emmenés là !

Le vent se met à souffler, la cabane à tourner.

Elle tourne plus vite, de plus en plus vite.

Puis tout s'arrête, tout se tait.

2

Le capitaine pirate

Tom frissonne. Le soleil brille, mais l'air est frisquet. Devant la fenêtre de la cabane, des branches nues se balancent dans le vent. Sa sœur est vêtue d'une robe longue protégée par un tablier. Lui, il porte une chemise en coton sur un maillot de corps rouge et un pantalon tenu par des bretelles. Son sac à dos est devenu une besace en cuir.

Le garçon vérifie qu'il a bien son carnet, son crayon, le message de Kathleen et Teddy, le flacon de potion magique.

– C'est bon, on peut y aller !

– Est-ce qu'on est devant la Maison-Blanche ? demande Léa.

Ils vont regarder au-dehors. La cabane s'est posée dans un bosquet dépourvu de feuilles. Des voitures tirées par des chevaux roulent bruyamment sur une allée circulaire, devant un majestueux bâtiment orné de hautes colonnes.

– Waouh ! lâche Tom.

La Maison-Blanche est impressionnante,
baignée de soleil. Une foule est rassemblée
devant l'entrée principale : des hommes
en longs manteaux noirs, des femmes
en crinolines, coiffées de bonnets avec
de gros rubans.

– Abraham Lincoln a beaucoup de visiteurs, ce matin, constate Léa.

Tom feuillette le livre jusqu'à ce qu'il trouve une autre photo en noir et blanc du bâtiment. Il lit :

**Quand Abraham Lincoln fut élu président en 1861, on considérait que la Maison-Blanche appartenait autant aux citoyens qu'au chef de l'État et à sa famille.
Elle était ouverte à tous. Le président Lincoln avait parfois du mal à travailler dans son bureau à cause de l'animation qui régnait dans le bâtiment.**

– Alors, n'importe qui peut circuler dans la Maison-Blanche ? s'étonne Léa.

– C'est dingue !

– En tout cas, c'est une vraie chance pour nous !

– Sans doute… Mais moi, je ne voudrais

pas être comme ces gens qui dérangent le président dans son travail, remarque le garçon d'un ton grave.

– On est là pour lui donner de l'espoir. C'est notre mission, lui rappelle sa sœur.

– Oui, avec une plume. Une plume que *lui-même* doit *nous* donner.

Tom relit l'étrange comptine que Teddy et Kathleen leur ont laissée :

Un troisième objet il vous faut encore :
Une simple plume pour briser le sort.
Des mains d'un héros sachez la recevoir,
Et de votre main lui rendre l'espoir,
Afin que sa patrie soit enfin guérie !

– Ça n'a pas de sens, soupire-t-il en secouant la tête.

– Chaque chose en son temps, énonce Léa. Pour commencer, il faut d'abord qu'on trouve le président !

À cet instant, une voix s'exclame :

– Hé, Willy ! Viens voir ! Il y a une cabane dans l'arbre !

– Oh, flûte ! lâche Tom. On est repérés.

Il court à la fenêtre, suivi de Léa. Un garçon de sept ou huit ans est planté sous l'arbre, le nez en l'air. Il porte un costume gris et bleu, une chemise blanche et un ruban rouge autour du cou. Quand il aperçoit Tom et Léa, ses yeux noirs s'illuminent de curiosité.

– Salut ! lance-t-il. Qui êtes-vous ? Qu'est-ce que vous faites dans ma cabane ?

– *Ta* cabane ? proteste Tom. Elle n'est pas à toi !

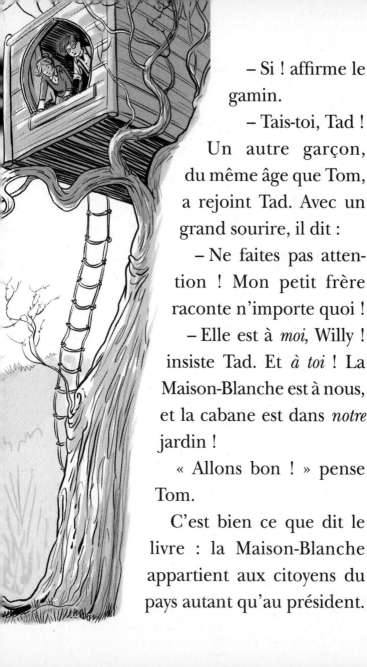

– Si ! affirme le gamin.

– Tais-toi, Tad !

Un autre garçon, du même âge que Tom, a rejoint Tad. Avec un grand sourire, il dit :

– Ne faites pas attention ! Mon petit frère raconte n'importe quoi !

– Elle est à *moi*, Willy ! insiste Tad. Et *à toi* ! La Maison-Blanche est à nous, et la cabane est dans *notre* jardin !

« Allons bon ! » pense Tom.

C'est bien ce que dit le livre : la Maison-Blanche appartient aux citoyens du pays autant qu'au président.

– Désolé, explique Tom, cette cabane est… spéciale. Elle est à nous.

– Ce n'est pas vrai ! crie Tad. Je monte !

– Non ! Tu ne montes pas !

Tom se précipite vers la trappe pour relever l'échelle de corde, mais le gamin est déjà sur les échelons.

– Cachons nos affaires ! chuchote Tom à sa sœur.

Il range vite le livre dans son sac. Léa fourre le papier et la fiole dans la poche de son tablier.

– Tad ! Descends de là ! lance Willy. Laisse-les tranquilles !

Tad n'écoute pas, il est déjà dans la cabane. L'œil noir, il gronde :

– Je suis le capitaine pirate et je prends votre navire à l'abordage ! Allez, bats-toi, matelot !

Les poings fermés, le petit garçon se plante devant Tom.

– Laisse tomber, grogne celui-ci en repoussant son jeune agresseur.

D'en bas, Willy appelle :

– Tad ! Descends !

Le gamin se contente de ricaner. Il se met à sautiller autour des enfants en les menaçant de ses poings :

– Désormais, pauvres matelots, ce bateau est à moi !

– Oh, ça va…, grommelle Tom.

– Tad ! appelle encore Willy.

Léa ordonne d'un ton sévère :

– Descends, maintenant ! Ton grand frère t'attend.

Mais le gosse la provoque, le menton en avant :

– T'es qui, toi, la demoiselle, pour me commander ?

Léa se met à rire :

– Je m'appelle Léa, petite crevette ! Et lui, c'est mon frère, Tom.

Tad abandonne aussitôt son rôle de capitaine pirate. Il tend la main :

– Salut, Léa ! Ravi de te rencontrer ! Qu'est-ce que vous allez faire, aujourd'hui, Tom et toi ?

– Eh bien… on aimerait beaucoup rencontrer le président Lincoln.

– C'est vrai ? Willy et moi, on connaît un secret…

D'un air espiègle, il ajoute :

– Si vous nous accompagnez, on vous conduira droit au président. Promis !

– Merci. On se débrouillera très bien tout seuls, intervient Tom.

Il n'a aucune envie d'avoir ce gosse dans les jambes !

– Mais je veux vous aider, moi ! Venez !

Et Tad commence à descendre.

– Qu'est-ce qu'on fait ? chuchote Léa. On le suit ?

– Non, il se vante. Rappelle-toi : son frère a dit qu'il racontait n'importe quoi.

– Alors, vous arrivez ? leur crie Tad. Ou je remonte et on joue aux pirates ?

– Flûte ! souffle Tom en empoignant son sac. Allons-y, il faut l'éloigner d'ici.

À cet instant, la tête de Tad repasse par la trappe :

— Vous venez, oui ou non ?

— Oui, oui, on t'accompagne, lui assure Léa.

— Qu'est-ce qu'il y a dans ton sac ? lance le gamin à Tom.

— Rien, des trucs… Descends !

Il ne faut surtout pas que Tad découvre le livre sur Abraham Lincoln ! Mais le gosse saute de nouveau dans la cabane :

— Montre-moi ! Qu'est-ce que tu caches là-dedans ?

— Rien ! répond sèchement Léa. Il vient de te le dire.

— Alors, pourquoi il l'emporte avec lui ?

– Oh, d'accord, je le laisse ici, s'agace Tom en lâchant le sac sur le plancher. Tu es content ? Allons-y !

– Allons-y ! répète Tad.

Et il disparaît une deuxième fois par la trappe.

Tom fouille son sac. Il en sort son carnet et son crayon, qu'il fourre dans une poche de son pantalon. Il donne la fiole à sa soeur qui la met dans la poche de son tablier.

Il lui chuchote :

– Je reviendrai prendre le livre plus tard, chuchote le garçon, quand on se sera débarrassés de ce casse-pieds.

Léa fait la grimace :

– Si on y arrive !

Et tous deux descendent par l'échelle de corde.

3

Cache-toi !

Willy les attend au pied de l'échelle :

– Salut !

Tad fait les présentations :

– Voici Tom et Léa ! Je leur ai dit qu'on avait un secret.

Baissant la voix, il ajoute d'un ton mystérieux :

– Je leur ai promis qu'on les aiderait : ils veulent rencontrer le président.

– Oh, vraiment ?

Willy serre la main aux deux enfants puis il leur déclare :

35

– Ne faites pas attention ! Mon frère est une peste.

– Et toi, tu es une crème, grogne le gamin, boudeur. Allez, on y va ! À la Maison-Blanche !

Il fait le salut militaire et traverse la pelouse au pas.

Tout en marchant aux côtés de Willy, Léa demande :

– Alors, Tad connaît le président ?

– Mais oui, répond Willy en souriant. Moi aussi.

– Génial ! souffle Tom.

Les manières aimables et posées du garçon lui plaisent beaucoup. Si c'est lui qui les mène à Abraham Lincoln, ça lui convient.

– Et tu pourras nous présenter ? s'enquiert-il.

– J'en serais ravi, si Tad ne le fait pas le premier !

– Ce serait super !

Laissant son petit frère marcher devant, Willy entraîne Tom et Léa sur l'allée cavalière. Il fait frais, mais un parfum de printemps flotte dans l'air. De minuscules bourgeons poussent au bout des ramures. Des oiseaux volètent de branche en branche et des rouges-gorges picorent dans l'herbe verte.

– Est-ce que vos parents vont aller à la Maison-Blanche, aujourd'hui ? veut savoir Léa.

– Ils y seront.

– Vous venez ? les interpelle Tad en se retournant.

– Attention ! lui lance son frère.

Le gamin saute de côté juste à temps au passage d'un attelage. La voiture s'arrête devant le perron. Des gens se pressent à l'entrée, certains montrent des feuilles de papier au garde.

– Ils veulent tous voir le nouveau président, explique Tad. Ils viennent tous lui réclamer quelque chose.

– Ne parle pas comme ça, le rabroue son frère.

Il explique à ses compagnons :

– La plupart cherchent à obtenir un emploi au gouvernement. Il faut bien qu'ils nourrissent leur famille !

Tad se fraie un chemin entre les attelages et joue des coudes pour traverser la foule qui attend à la porte.

– Laissez-nous entrer ! crie-t-il au garde. Tom et Léa sont là. Ce sont des amis du président.

Au grand étonnement de Tom, le garde repousse les gens sur le côté afin de permettre aux enfants de pénétrer dans la Maison-Blanche.

Ils franchissent le seuil et se retrouvent dans un immense vestibule empli de monde. Tad se faufile dans la cohue :

– Poussez-vous !

Des femmes qu'il bouscule poussent des cris en balançant leurs crinolines. Willy rattrape son frère par le bras :

– Ça suffit, Tad ! Calme-toi !

« Quel petit sauvage ! » pense Tom.

Autant Willy lui plaît, autant ce môme l'exaspère.

Tad se dégage avec un éclat de rire. Il s'engouffre dans une pièce donnant sur le vestibule. Willy et Léa s'élancent derrière lui. Tom suit prudemment.

Ils sont maintenant dans un vaste salon meublé de fauteuils recouverts de satin rouge. Des femmes et des jeunes filles boivent du thé dans des tasses en porcelaine de Chine. Un piano à queue trône au milieu de la pièce. Personne ne prête attention à Tad qui s'installe devant l'instrument et tapote sur les touches, tandis que Willy présente Léa à une grosse dame brune assise sur un sofa.

« Pourquoi ce mouflet fait-il tout ce qu'il veut, ici ? se demande Tom. Où sont ses parents ? Est-ce qu'ils travaillent à la Maison-Blanche ? »

Les sourcils froncés, il fixe Tad d'un air sévère. Le gamin saute du tabouret et court lui prendre la main :

– Oh, Tom, j'allais oublier ce que je t'ai promis ! Viens !

Et il le tire hors du salon. Tom essaie de se dégager :

– Arrête ! Laisse-moi ! Je dois attendre ma sœur !

Léa et Willy sont toujours en grande conversation avec la dame brune.

– Ils nous rattraperont, déclare Tad. Viens ! Je vais te dire mon secret. Tu ne vas pas y croire !

– Lâche-moi, grogne Tom.

– Non ! Viens ou je crie, menace Tad, les yeux plus noirs que jamais. Quand je veux, je crie très, très fort !

« Bon sang, pense Tom. Il est complètement fou ! »

– Ne crie pas ! Patiente juste une seconde.

Et il appelle :

– Léa ! Willy !

Ni l'un ni l'autre ne réagissent.

– Allez, viens ! lance Tad.

Et il conduit Tom dans un vestibule d'où part un large escalier.

– Lâche-moi ! Lâche-moi tout de suite, se fâche le garçon.

Cette fois, le gamin le lâche. Mais il insiste :

– S'il te plaît, monte à l'étage avec moi ! Si tu ne veux pas, je vais…

Il ouvre grand la bouche, prêt à crier.

– Oh, d'accord ! Je viens, grommelle Tom entre ses dents.

Il se laisse entraîner au milieu de la foule de gens qui montent et descendent l'escalier.

« Dès qu'on sera en haut, prévoit Tom, je redescendrai en vitesse. Il pourra bien crier autant qu'il voudra ! »

Arrivé sur le palier du premier étage, Tom se retourne, prêt à s'élancer. Mais trop de gens se pressent sur les marches. Impossible de passer !

Tad l'agrippe par le bras et le tire vers une porte en chuchotant :

– Je t'ai promis de te faire rencontrer le président. Tu veux le voir, oui ou non ?

– Non ! s'exclame Tom.

« En tout cas, pas avec toi ! »

– Mais tu as dit que tu voulais !

Le gamin ouvre la porte et pousse Tom en avant. Puis il referme le battant derrière eux.

Il n'y a personne dans la pièce.

Au centre se dresse un grand lit en bois entouré de rideaux pourpres, avec des sculptures sur les montants.

« Ce doit être la chambre du président », se dit le garçon, horrifié.

Il pivote pour ressortir. Impossible ! Tad est appuyé contre la porte.

– On ne peut pas rester ici, murmure Tom. On va avoir de gros ennuis.

– Mais le président est là, dans sa garde-robe ! affirme Tad.

Souriant de toutes ses dents, il désigne une porte au fond de la pièce.

– Tu es fou ! chuchote Tom, plus affolé que jamais. Pousse-toi ! Il faut sortir d'ici avant que quelqu'un nous surprenne ! Allez, dépêche-toi…

Brusquement, le petit garçon lâche un grognement et s'écroule.

Tom se penche vers lui :

– Hé ? Qu'est-ce que tu as ?

Tad le tire par le bras et l'oblige à se coucher par terre :

– Vite ! Cache-toi !

Brusquement, la porte de la garde-robe s'est ouverte !

Tad rampe sous le lit ; Tom se dépêche de le rejoindre. À plat ventre, il retient son souffle. Son cœur bat à en exploser.

Le gamin, la main sur la bouche, est secoué d'un rire silencieux.

Deux grands pieds enfilés dans des chaussettes noires s'arrêtent près du lit. Le sommier se creuse. Deux mains posent une paire de chaussures noires sur le plancher. Les pieds se glissent dans les chaussures.

Le sommier se relève, et les chaussures s'écartent du lit.

Tad se glisse sans bruit hors de sa cachette. Et il agrippe les jambes de l'individu aux chaussures. Celui-ci crie et tombe. Tom aperçoit un grand homme aux cheveux bruns couché par terre qui émet des grognements. Ce fou de Tad lui grimpe dessus et le frappe de ses petits poings. Il attaque le président des États-Unis !

4

Willy !

Tom est horrifié. Il faut que Tad cesse, sinon, la police va les arrêter tous les deux !

Alors, le président éclate de rire. Il serre entre ses mains les poings de l'enfant :

– Espèce de sale petit têtard ! Tu crois que tu me fais peur ?

Et il se met à le chatouiller.

– Non, arrête ! Arrête, papa ! couine Tad en se tortillant.

« Papa ? s'exclame Tom intérieurement. Abraham Lincoln est son père ? »

Le président cesse ses chatouilles et il embrasse son fils sur le front :

– Que viens-tu faire ici, mon garçon ?

– Papa, Willy et moi, on a trouvé une cabane en haut d'un arbre. Il y avait deux enfants dedans, Tom et Léa. Tom dit que la cabane est à eux. Mais elle est à moi, puisqu'elle est dans notre jardin. Elle est à moi, hein, papa ?

Tom se retient de crier : « Non, elle est à nous ! » Il a trop peur d'être découvert sous le lit.

Le président semble réfléchir :

– Mmm… Ils s'appellent comment, dis-tu ? Tom et Léa ?

– Oui. Je ne sais pas d'où ils viennent. La cabane est à moi, hein, papa ? À Willy et à moi ?

Son père reprend d'une voix lente :

– Et tu ne sais pas d'où ils viennent ? Tom et Léa ? Tu es sûr ?

« Pourquoi Tad ne lui dit-il pas que je suis là, sous le lit ? se demande le garçon. Est-ce que je dois me montrer ? »

Tad hoche la tête :

– Oui, Tom et Léa. Mais, pour la cabane, est-ce que…

Au même instant, la porte s'ouvre. Un homme lance d'un ton pressant :

– Monsieur le Président, vous êtes en retard pour votre premier rendez-vous !

– Désolé, monsieur Nicolay, s'excuse Lincoln en se relevant. J'arrive.

– Les gens s'impatientent, monsieur, reprend Nicolay. Si vous ne venez pas, ils sont capables d'envahir votre chambre !

– Oh, ils n'oseraient pas, fait le président en riant. Pas en présence de mon garde du corps !

Il ébouriffe les cheveux de son fils :

– En route, têtard ! Escorte-moi jusqu'à mon bureau !

– Tu viendras voir la cabane, papa ? demande le gamin tandis qu'ils sortent de la pièce.

– Plus tard, à l'heure de ma promenade à cheval. J'aimerais bien rencontrer ces jeunes gens, Tom et Léa.

La porte se referme. Le silence retombe.

– Pas possible, marmonne Tom. Tad m'a oublié !

Il ferait mieux de quitter en vitesse la chambre du président ! Mais, au moment où il sort de dessous le lit, la porte s'ouvre de nouveau. Il n'a que le temps de ramper à reculons.

Une voix féminine lance :

– Je fais d'abord les poussières ?

– Oui, répond une autre. Puis tu m'aideras à changer les draps.

Tom ne distingue que les bas et les chaussures noires des deux femmes de chambre qui vont et viennent dans la pièce.

« Il faut que je file avant qu'elles fassent le lit », se dit le garçon.

Il s'extirpe de sa cachette et court vers la sortie.

Une des femmes pousse un cri. Tom ne se retourne pas. Il se précipite vers l'escalier. Tout en dévalant les marches quatre à quatre, il entend une voix aiguë piailler :

– Il y avait un garçon sous le lit !

Arrivé au rez-de-chaussée, Tom se faufile dans la foule. Il trouve un recoin au fond du vestibule et se colle au mur. À l'instant où il passe prudemment la tête pour vérifier si personne ne le poursuit, quelqu'un l'attrape par le bras.

– Ahhh ! crie-t-il.

– C'est moi, le rassure Léa. Où étais-tu passé ? Je t'ai cherché partout.

– J'étais en haut, dans la chambre du président Lincoln. C'est Tad qui m'y a fait entrer. Figure-toi que le président est le père de Tad et de Willy !

– C'est ce que je voulais te dire. Willy m'a présentée à leur mère. Elle est très gentille. Toutes ces personnes, dans le salon, étaient des membres de leur famille.

– Tad m'a obligé à me cacher sous le lit, et j'ai failli être surpris, raconte le garçon. Puis il a oublié que j'étais là. Il n'arrêtait pas de parler de la cabane en prétendant qu'elle est à lui !

– Willy dit que son frère est toujours comme ça, il ne peut pas s'en empêcher. C'est leur première semaine à la Maison-Blanche !

– Oui, eh bien, c'était vraiment horrible ! Tu imagines ? J'étais coincé sous le lit du président !

Cette idée fait pouffer Léa :

– C'est plutôt rigolo !

– Je ne trouve pas.

– Ne t'en fais pas ! Willy t'aurait sorti de là. Il m'a invité à le rejoindre dans le bureau de son père dès que je t'aurai retrouvé.

Il va nous présenter. C'est au premier étage, au bout du corridor.

– D'accord, soupire Tom. J'ai entendu le président déclarer qu'il voulait nous rencontrer.

– Vraiment ?

– Oui. Quand Tad lui a parlé de nous, Lincoln a répété d'un drôle d'air : « Tom et Léa ? Tu es sûr ? »

– Bizarre… Mais, s'il veut nous rencontrer, tant mieux ! On y va ?

Les enfants gravissent l'escalier. Au premier étage, Tom baisse la tête de peur d'être reconnu par les femmes de chambre. Il suit Léa vers un groupe de gens qui stationnent devant une porte. Un homme maigre avec une barbe en pointe s'adresse à eux :

– Mesdames et messieurs, s'il vous plaît ! Seuls ceux dont le nom est inscrit sur ma liste seront reçus par le président.

Le garçon reconnaît cette voix. Il souffle à sa sœur :

– C'est monsieur Nicolay.

– Qui êtes-vous pour décider si on va être reçu ou non ? proteste une dame coiffée d'un bonnet rose.

– Je suis le secrétaire du président Lincoln, madame, répond sèchement Nicolay. Si vous n'avez pas rendez-vous, veuillez partir.

– Excusez-moi, monsieur Nicolay, intervient un homme à l'air important, mais je dois figurer sur votre liste.

Il montre un papier au secrétaire. Celui-ci vérifie :

– Par ici, monsieur Bennet.

Nicolay ouvre la porte et fait signe au visiteur d'entrer. Tom et Léa en profitent pour s'avancer.

Abraham Lincoln est assis devant une longue table.

57

Tad, sur ses genoux, joue avec le nœud papillon de son père. Tandis que le président écoute un des hommes qui l'entourent, Willy observe une carte accrochée au mur.

– Willy ! appelle Léa à voix basse.

Le garçon n'entend pas, mais monsieur Nicolay, si. Il tire les enfants en arrière.

– Willy ! crie la petite fille.

Le fils du président se retourne. Trop tard ! Le secrétaire a refermé la porte.

5

Un homme très occupé

– Pardon, chère mademoiselle, dit monsieur Nicolay, mais ce n'est pas un endroit pour jouer !

– Je ne joue pas, monsieur, riposte Léa. Nous sommes des amis de Willy, et c'est lui qui nous a dit de venir ici. Il veut nous présenter à son père.

Monsieur Nicolay fronce les sourcils :

– J'ai peur que qu'il ne fasse erreur. Le président n'aura pas le temps de vous rencontrer. Il est en réunion avec les délégués de Californie, de l'Indiana et du Maine.

  – Plus tard, alors ?

  – Impossible ! Il recevra ensuite ses géné-
raux, puis les représentants de la Marine.

  – S'il vous plaît…! lance un homme dans
la foule qui se presse devant le bureau.

Tom lui coupe la parole :

– Mais j'ai entendu le président déclarer qu'il voulait nous connaître !

– Voilà qui m'étonnerait beaucoup, fait le secrétaire en secouant la tête. Après ces rendez-vous, le président Lincoln verra des diplomates étrangers, un groupe de sénateurs et enfin les journalistes du *New York Times*.

– Monsieur Nicolay, écoutez-moi ! clame une voix.

Léa intervient :

– Autrement dit, le président n'aura aucun moment libre cet après-midi ?

– Si par miracle il en a un, il fera une promenade à cheval dans la campagne et s'accordera une entrevue privée... avec lui-même !

– Je vois, fait la petite fille.

Prenant une grande inspiration, elle demande :

– Savez-vous si le président collectionne les plumes ?

Monsieur Nicolay agite les mains comme pour écarter la question :

– Le président n'a pas le temps de faire des collections, jeune demoiselle ! Le pays est en plein bouleversement. On est au bord de la guerre civile.

– Que voulez-vous dire, monsieur ? l'interroge un homme dans la foule. Avez-vous des nouvelles de Fort Sumter ?

– Oui, savez-vous quelque chose ? ajoute une voix de femme.

Et tout le monde se met à parler en même temps.

– Ça suffit, s'égosille le secrétaire. Partez tous ! Le président est occupé. Il travaille nuit et jour pour vous et pour l'unité de la nation !

Les gens crient de plus belle. Tom tire sa sœur par la manche :

– Allez viens, Léa, sortons d'ici !

– On devrait attendre Willy, proteste la fillette.

– Je ne pense pas qu'il pourra nous aider, reprend Tom. Viens ! Retournons à la cabane ! On va chercher des informations dans le livre. Ça nous donnera peut-être une idée.

– D'accord, accepte Léa en soupirant.

Ils se fraient un chemin dans la cohue, descendent l'escalier, regagnent la grande porte et s'échappent entre les colonnes du perron de la Maison-Blanche.

– Pfffff ! souffle Tom. Quelle bande d'excités !

– Tu es sûr qu'on ne devrait pas attendre Willy ? insiste Léa.

– Tout à fait sûr ! affirme le garçon en courant le long de l'allée cavalière. Même s'il nous ramène dans le bureau de son père, il y aura des tas d'autres gens.

On ne sera jamais seuls avec le président.
On ne pourra pas lui demander la plume.
Et on ne lui rendra sûrement pas l'espoir !
Tout le monde se moquerait de nous.

– Tu as raison, admet Léa.

Tom secoue la tête :

– Je me demande comment le président peut réfléchir avec Tad sur ses genoux, les visiteurs qui se bousculent derrière la porte, son secrétaire qui crie…

– Et des tas de gens qui ont des rendez-vous !

– Et tous ceux qui en réclament un !

Ils arrivent devant la cabane quand le garçon fait remarquer :

– Pas étonnant que le président ait besoin de partir à cheval, tout seul, dans la campagne !

Il empoigne l'échelle de corde :

– Grimpons, et allons voir ce que dit le livre.

– Pas tout de suite ! le retient Léa. J'ai une idée !

– Laquelle ?

– Ce qu'il nous faut, c'est rencontrer le président, seul. D'accord ?

– Oui. Et alors ?

– Dans ce cas, le livre ne nous aidera pas. Mais on peut se servir d'autre chose…

– De quoi ?

La petite fille sort le flacon bleu de la poche de son tablier. Elle lit à haute voix ce qui est écrit sur l'étiquette :

Buvez une gorgée en prononçant un seul souhait qui vous aidera dans votre mission. N'oubliez pas : faites confiance à la magie !

Elle lève les yeux vers son frère :

– Notre souhait, c'est rencontrer Abraham Lincoln en privé.

– Il n'est pas un peu tôt pour utiliser la magie ?

– Au contraire ! C'est le bon moment !

Tom a beau réfléchir, il ne trouve rien de mieux à proposer :

– Bon…, d'accord…

– Souviens-toi, insiste Léa. Il faut faire confiance à la magie !

Le garçon approuve de la tête.

Léa ouvre le flacon. Elle le porte à ses lèvres et avale une petite gorgée de potion. Elle tend la bouteille à son frère, qui boit à son tour.

– Prononce notre souhait, dit la petite fille.

Tom ferme les yeux et murmure :

– Nous désirons rencontrer Abraham Lincoln, seul !

Aussitôt, un rugissement retentit, tel le bruit d'un violent coup de vent. Le sol tremble comme au passage d'un train. La terre s'ouvre sous les pieds de Tom. Il se sent tomber dans un trou sans fond, il est aspiré le long d'un tunnel obscur. Et il se retrouve soudain à la lumière du jour.

6

À la campagne

Tom et Léa sont assis sur un tas de feuilles mortes près d'une route poussiéreuse. Des nuages cachent le soleil. Un vent froid fait craquer les branches des arbres dénudés.

– Tu n'as rien de cassé ? s'inquiète la petite fille.

– Je ne crois pas. Où sommes-nous ?

– Quelque part dans la campagne.

– Je vois bien, mais où ? Et qu'est-ce qu'on fait là ?

– Monsieur Nicolay a dit que si le président avait un moment libre, il ferait une

promenade à cheval dans la campagne.
Je parie qu'on est à un endroit où Abraham
Lincoln va passer ! Seul !

– Wouah ! souffle Tom. Ce serait super !

– Écoute ! J'entends justement
un claquement de sabots !

Une silhouette maigre
apparaît au bout de la
route, montée sur un
cheval blanc tout aussi
maigre. Tom et Léa
sautent sur leurs
pieds.

Quand le cavalier s'approche, le garçon soupire, déçu :

– Ce n'est pas le président ! Ce n'est qu'un gamin sur un vieux cheval.

– Il va nous aider, de toute façon, suppose Léa. Rappelle-toi : *faites confiance à la magie !*

Tom acquiesce tout en doutant que le nouveau venu puisse leur être utile. Il n'a pas plus de dix ans. Des mèches de cheveux noirs sortent de dessous son bonnet en fourrure de raton laveur.

Il a le visage sale, son pantalon et ses mocassins de cuir sont déchirés. Un sac de toile effrangé pend à son épaule.

Léa se plante sur la route :

– Bonjour !

Le jeune cavalier tire sur les rênes. Il soulève son bonnet pour saluer les enfants et pose sur eux un regard fatigué.

– Comment allez-vous ? demande-t-il en souriant.

– Ça va, dit Léa. On voudrait savoir si tu pourrais nous aider. On cherche Abraham Lincoln. Passe-t-il parfois par ici à cheval ? L'as-tu déjà vu ?

Les yeux du garçon s'illuminent :

– Vous cherchez Abraham Lincoln ?

– Oui…

– Pourquoi ?

Tom bredouille :

– Eh bien, on… euh… pour lui dire bonjour. On nous a dit qu'il se promenait souvent dans la campagne, alors…

– Oh, oui ! D'ailleurs, il est dans le coin en ce moment.

Léa se tourne vers son frère, rayonnante, l'air de dire : « Tu vois, la magie fonctionne ! »

Tom lui sourit en retour. Puis il s'adresse au jeune cavalier :

– Tu sais où on peut le trouver ?

– Je vais vous conduire. Mais je dois d'abord moudre du grain au moulin.

« Pourvu que ce ne soit pas trop long, pense Tom. Combien de temps le président va-t-il chevaucher dans la campagne ? »

– C'est que… on est un peu pressés, déclare-t-il. Tu pourrais peut-être nous indiquer le chemin ?

Léa chuchote à l'oreille de son frère :

– Il faut faire confiance à la magie !

Avec un soupir, le garçon se tourne de nouveau vers le jeune cavalier :

– D'accord ! On t'accompagne ! Mais dépêchons-nous ! On ne voudrait pas manquer Abraham Lincoln !

– Oh, vous ne le manquerez pas, je vous le promets ! Le moulin est au bout du chemin. En route, Bella !

Il secoue les rênes, et la vieille jument s'ébranle. Les deux enfants marchent de chaque côté.

– Je suis Léa, lance la fillette. Mon frère, c'est Tom. Et toi ?

– Appelez-moi Sam.

– Merci pour ton aide, Sam !

Une rafale secoue les arbres.

Le cheval hennit et s'arrête.

– Avance, Bella ! l'encourage son jeune maître.

La bête ne bouge pas.

– Elle n'aime pas le vent, explique Sam. Ça lui fait peur.

Tom comprend la jument. Il y a, dans le sifflement sinistre de la bise, quelque chose de bizarre qui l'effraie, lui aussi. On dirait que la saison n'est pas la même ici qu'à la Maison-Blanche.

– Hue, Bella ! reprend Sam.

La jument redémarre. Ses sabots claquent lourdement sur la route. Au tournant, Tom aperçoit une curieuse machine, dans une clairière. Un récipient ressemblant à un tonneau est relié à une poutre et à des barres métalliques.

– C'est quoi, ce truc ? demande le garçon.

– Un broyeur, répond Sam. Vous n'en avez jamais vu ?

– Bien sûr que si ! affirme Léa.

Personne ne fait fonctionner le broyeur, personne n'attend pour s'en servir. Sam laisse tomber son sac sur le sol et saute à terre. Léa constate alors que son pantalon est trop court pour lui.

– Qu'est-ce qu'il y a dans ton sac ? demande-t-elle.

– Dix livres de blé.

– Waouh !

Sam verse le grain dans un entonnoir au-dessus du récipient. Il attelle sa jument aux barres de métal. Puis il marche en rond en tirant le cheval par la bride.

Le broyage du blé n'en finit pas. Tom commence à s'impatienter. Il s'apprête à intervenir quand une nouvelle rafale lui ébouriffe les cheveux. La jument se cabre.

– En avant, Bella !

La bête hennit et secoue sa crinière.

– Allez ! insiste Sam en lui frappant la croupe.

L'animal refuse de bouger. Son jeune maître le pousse par derrière :

– Avance ! Nos amis nous attendent !

Le vent soulève les feuilles mortes, qui tourbillonnent. Bella hennit encore. Puis elle lance une ruade. Un de ses sabots atteint Sam en pleine tête. Il tombe à la renverse tandis que son bonnet de fourrure roule dans l'herbe.

– Sam ! s'écrie Léa.

Son frère et elle s'agenouillent auprès du garçon. Un filet de sang lui coule le long du front. Il a les paupières fermées.

– Sam ? répète la petite fille en essuyant le sang avec son tablier. Tu m'entends ?

Le gamin évanoui ne répond pas, il n'ouvre pas les yeux.

– Hé ! lui crie Tom. Réveille-toi !

Sam ne bouge pas. On dirait même qu'il ne respire plus.

Léa échange avec Tom un regard paniqué.

– Tu crois qu'il est mort ? souffle-t-elle.

La ferme de Sam

Tom n'a jamais rien vécu d'aussi affreux. Il pose son index sur le poignet de Sam pour sentir son pouls, comme il a vu faire à la télévision. Le blessé ouvre les yeux et marmonne d'une voix faible :

– Allez, Bella !

Tom lâche un soupir de soulagement :

– Ouf ! On a cru que tu étais mort !

Sam bat des paupières :

– Je ne suis pas mort, mais j'ai vu trente-six chandelles et les oreilles me sonnent !

– Tu as mal à la tête ? s'inquiète Léa.

– Oui, très mal, répond Sam en grimaçant.

– Tu as peut-être une fracture du crâne,
dit Tom. Y a-t-il un docteur dans le coin ?

– Oui, à vingt-cinq…

– Minutes ?

– Kilomètres…

– Waouh ! C'est loin !

Sam tente de se redresser :

– Il faut que je retourne chez moi…
à la ferme.

– Doucement ! fait Tom.

Il ne sait pas comment il faut agir en cas
de fracture du crâne.

Soutenu par les deux enfants, le jeune
fermier réussit à se relever.

– Merci, souffle-t-il.

Il marche vers sa jument d'un pas chan-
celant. Puis il perd l'équilibre et s'écroule
de nouveau.

– Sam ! crie Léa.

Avec son frère, elle l'aide à se remettre sur ses pieds.

– Ce n'est rien, murmure Sam. J'ai la tête qui tourne, c'est tout.

– Tu ne peux pas rentrer seul chez toi, décide la fillette. On va te raccompagner. Hein, Tom ?

Son frère acquiesce. C'est la seule chose à faire, il en est conscient. « Mais, dès que Sam aura retrouvé ses parents, on reprendra la recherche d'Abraham Lincoln », se promet-il.

Léa annonce :

– Je vais monter derrière Sam et je le tiendrai. Toi, tu mèneras Bella par la bride.

– D'accord.

La fillette détache les courroies qui attèlent la jument au broyeur. Le vent s'est tu, la bête est calme. Léa la conduit jusqu'à une souche, sur laquelle elle grimpe. De là, elle se hisse sur le dos de l'animal.

– À toi, maintenant, Sam !

Tom soutient le blessé pendant qu'il monte à son tour sur la souche. Il est à peine à cheval qu'il vacille. Léa l'entoure de ses bras pour l'empêcher de chuter.

– Ça ira ? demande Tom.

– Ma farine, souffle Sam.

– Je m'en charge.

Tom découvre une trappe au fond du broyeur. Il met le sac vide dessous, ouvre la trappe. La mouture de blé tombe. Il balance le sac sur son épaule. Puis il prend les rênes et ramène la jument sur la route.

« Les choses ne devraient pas se passer comme ça », se dit Tom. Il veut bien faire confiance à la magie. Mais les voilà obligés d'aider celui qui aurait dû les aider !

– Où est ta ferme, Sam ? interroge-t-il.

Pas de réponse.

Léa secoue un peu le blessé :

– Hé ! Ta ferme ? Elle est où ?

Sam pointe le doigt :

– Là-bas.

Tom ne voit rien qui ressemble à une ferme. Le seul bâtiment qu'il aperçoit est en rondins, sans fenêtres, avec un appentis à côté. Un filet de fumée monte dans le ciel clair.

– Où ça ?

Sam désigne la cabane.

« Moi, pense Tom, je n'appellerais pas ça une ferme… Cette famille doit être très pauvre ! »

Au moins, ils n'ont pas perdu trop de temps à ramener Sam chez lui !

La cabane est construite dans une clairière broussailleuse, parsemée de pierres et de souches, là où des arbres ont été abattus.

Le garçon dirige la jument vers le bâtiment. Non seulement il est dépourvu de
fenêtres, mais il n'a pas de vraie porte, juste
une peau d'ours pendue devant l'ouver-
ture. La jument s'arrête près de l'appentis,
d'où monte le mugissement
d'une vache.

– Je vais t'aider à descendre, Sam, dit Tom en posant le sac de farine. Douce-ment ! Doucement !

Le blessé se laisse glisser à terre. Dès que ses pieds ont touché le sol, Tom le soutient :

– Appuie-toi sur moi !

Ils avancent tous deux vers la cabane à pas lents. Léa saute à son tour. Elle attache la jument près de l'appentis. Puis elle ramasse le sac, court vers la maisonnette et écarte la peau d'ours pour que les garçons puissent entrer.

Il n'y a personne dans la pièce, à peine éclairée par le jour qui passe entre les rondins des murs. Malgré le feu qui brûle dans une cheminée de pierre, il fait froid et humide. Le sol est en terre battue, les meubles sont faits de planches grossières.

– Merci, Tom, halète Sam. Tu n'as qu'à me laisser là.

Il se couche sur le sol et se recroqueville, tout tremblant.

– Tu ne peux pas rester par terre, Sam, proteste Léa. Où est ton lit ?

Le gamin désigne un grenier.

Tom et Léa le soulèvent et le conduisent jusqu'à l'échelle. Sam réussit à grimper aux barreaux. Arrivé en haut, il disparaît dans l'ombre.

Tom chuchote à sa sœur :

– Où on va, maintenant ?

Un gémissement de Sam leur fait lever les yeux.

– Le pauvre ! soupire la fillette. Il n'a personne pour s'occuper de lui.

Tom ne sait pas quoi décider. Ça l'ennuie d'abandonner Sam, mais il tient à trouver Abraham Lincoln avant qu'il ne retourne à la Maison-Blanche. Combien de temps l'effet de la magie va-t-il durer ?

Un nouveau gémissement leur parvient du grenier.

– J'y vais, déclare Léa.

Elle monte à l'échelle. Son frère la suit. Ils pénètrent dans le grenier à quatre pattes pour ne pas se cogner aux poutres.

Sam est couché sur un matelas craquant, sans doute bourré de paille, une main pressée contre le front.

– Tu as toujours mal ? s'apitoie Léa.

Le blessé fait signe que oui, appuyant plus fort sa paume contre sa tête comme pour comprimer la douleur.

– Où sont tes parents ? l'interroge Tom.

Sam ferme les yeux et explique d'une voix rauque :

– Papa est parti pour le Kentucky le mois dernier.

– Et ta mère ? demande Léa.

Le garçon secoue la tête sans répondre.

– Tu ne sais pas où elle est ?

– Elle est morte. L'année dernière.

Il se cache les yeux derrière son bras.

– Oh ! murmure la petite fille.

Tom n'arrive pas à y croire :

– Et tu es tout seul, ici ?

– Non, il y a ma sœur, Sarah.

– Et où est-elle, en ce moment ?

– À l'école.

– Quand rentre-t-elle ?

– À la nuit.

– À la nuit ? répète Léa.

– Les jours sont courts, en décembre.

« On est en décembre ? » s'étonne Tom.

Quand la cabane magique les a déposés près de la Maison-Blanche, c'était le mois de mars. Sam s'embrouille peut-être à cause de sa blessure ?

– On reste avec toi, décide alors Léa. On ne partira pas tant que Sarah ne sera pas de retour.

– Vous n'êtes pas obligés…, souffle Sam en grimaçant de douleur.

– On ne reste pas parce qu'on est obligés, mais parce qu'on le veut bien, affirme Tom.

Et il le pense.

Au travail !

Tom et Léa s'asseyent près de la paillasse. Le vent siffle tristement entre les rondins du toit. Sam dit enfin :

– Vous êtes gentils, mais il faut que je me lève. J'ai du travail.

– Pas maintenant, proteste Léa. Sarah s'occupera de tout quand elle rentrera.

– Elle sera trop fatiguée. Elle a un long chemin à pied de l'école à la maison. Et, depuis le départ de papa, elle n'arrive plus à dormir. On entend les loups et les chats sauvages hurler la nuit.

– Il y a des bêtes sauvages, par ici ? demande Tom.

– Des quantités ! Bon, j'ai du travail…

Sam essaie de se redresser. Léa l'oblige à s'allonger :

– Ne bouge pas ! Repose-toi ! Dis-nous ce qu'il faut faire. Ça nous amusera, hein, Tom ?

– Euh… oui, bien sûr ! bafouille son frère. Par quoi doit-on commencer ?

Les yeux fermés, Sam énumère :

– Couper du bois, traire la vache, chercher de l'eau à la source…

Tom tire en vitesse de son sac son carnet et son crayon pour noter :

Bois, vache, eau...

– Où est la source ?
s'enquiert-il.

– À environ cinq cents mètres en coupant par les broussailles.

– Les broussailles ?

– Aucun problème, assure Léa. Quoi d'autre ?

– Faire du pain et étudier mes leçons.

Tom ajoute à sa liste :
Pain, leçons.

– Parfait ! s'exclame Léa. On s'y met tout de suite.

« On s'y met ? s'affole Tom intérieurement. Mais comment faire ? »

– De quel côté est la source ? veut-il savoir.

Mais le blessé s'est endormi.

– Sam ?

– Chut ! souffle Léa. Laisse-le dormir.

Les enfants descendent du grenier. Ils traversent la pièce, écartent la peau d'ours et sortent.

– Pourquoi as-tu dit à Sam qu'on allait faire son travail, rouspète Tom. On n'y connaît rien !

– C'était la seule façon de l'obliger à se reposer. Ne t'inquiète pas, on va se débrouiller. C'est quoi, la première tâche ?

Tom consulte sa liste :

– Couper du bois.

– Ça ne doit pas être bien difficile ! Voilà les buches, et voilà la hache !

La petite fille se dirige vers le tas de bois. Une hache est plantée dans un billot.

Léa referme ses deux mains autour du manche et tire. L'outil ne bouge pas.

– Laisse-moi essayer, dit Tom.

À son tour, le garçon saisit le manche. La hache reste enfoncée dans le billot.

– C'est comme arracher Excalibur à la pierre ! s'écrie-t-il.

Sa sœur commente en riant :

– Alors, tu ne seras jamais roi ! C'est quoi, la tâche suivante ?

– Traire la vache.

– Facile !

Léa avance vers l'appentis d'un pas assuré. Une vache y rumine en balançant la queue.

Un seau et un tabouret à trois pieds attendent dans un coin.

– Cette fois, c'est toi qui commences, décide la fillette.

– Moi ?

– J'ai commencé avec la hache.

Tom pose le seau sous le ventre de la vache, il approche le tabouret et s'assied.

Tournant la tête pour le regarder, la bête lui fouette le visage avec sa queue.

– Ouille !

Tom se penche et examine les pis. Il lève vers sa sœur des yeux désemparés :

– Je ne sais pas comment on s'y prend !

Léa pouffe :

– Moi non plus ! Bon, on s'en occupera plus tard. Qu'est-ce qu'il y a d'autre à faire ?

– Aller chercher de l'eau, dit le garçon après un coup d'œil à sa liste.

– J'ai vu deux grosses cruches près de la porte.

Léa court déjà vers la cabane. Elle revient avec les récipients de grès et en tend un à son frère. Ils sont incroyablement lourds.

– Une fois remplis d'eau, ils seront encore plus lourds, note Tom. Ça va être pénible, si la source est à cinq cents mètres « en coupant par les broussailles » !

101

Sa sœur désigne la forêt qui est derrière la cabane :

– C'est sûrement par là.

Les enfants se dirigent vers la zone boisée. Des arbustes couverts d'épines et des buissons aux branches dénudées encombrent le chemin.

– Oui, ce sont vraiment des broussailles…, râle Tom.

Léa aperçoit un chemin étroit :

– Je parie que ça mène à la source ! On y va ?

– On y va !

Chargés des cruches, le frère et la sœur s'engagent sur le sentier en écartant les branches qui leur fouettent le visage. Des corbeaux, des moineaux, des pics-verts voltigent au-dessus d'eux. Des écureuils filent le long des troncs.

Bientôt, le chemin disparaît complètement. Les broussailles sont tellement épaisses que Tom commence à perdre tout espoir d'arriver à la source :

– On ne peut pas continuer comme ça !

– Avançons encore un peu, propose Léa. On verra peut-être le sentier.

Ils reprennent leur difficile progression à travers la végétation.

– Ça ne va pas, grommelle Tom. On n'a pas coupé de bois, on n'a pas trait la vache. On ne trouve pas la source, et on ne trouvera pas Abraham Lincoln non plus ! On a gaspillé notre seule chance de le rencontrer en privé.

– On ne pouvait pas abandonner Sam, objecte Léa. On a fait ce qu'il fallait.

– Je sais, soupire son frère.

– C'est vraiment bizarre, reprend la petite fille. Même si notre mission n'est pas de secourir Sam, j'ai l'impression qu'en lui venant en aide, c'est un peu comme si on aidait Pirlouit.

Tom approuve de la tête. Malgré son inquiétude, il est d'accord avec sa sœur.

– Il reste tout de même un problème, dit-il. On doit recevoir une plume des mains de…

– Oh !

– Quoi ? Tu avais oublié la plume ?

– Non, non ! Tu n'entends pas ?

Le garçon tend l'oreille. Léa insiste :

– Ce grognement… Tu n'entends pas ?

Tom balaie les alentours du regard.
Le cœur battant, il souffle :

– Ce serait… un chat sauvage ? Ou…
un loup ?

Des branches craquent, et un gronde-
ment s'élève, rauque et sourd. Le garçon
sent ses cheveux se hérisser sur sa nuque.

Du pain et de la mélasse

Tom articule à voix basse :

– On fait demi-tour !

Serrant leur cruche contre eux, les enfants pivotent lentement et repartent en sens inverse. Ils s'efforcent de ne pas faire de bruit, mais des brindilles craquent sous leurs pieds.

Le grognement monte de nouveau, plus fort.

– Cours ! panique Tom.

Léa fonce à travers les broussailles, son frère s'élance derrière elle. Des branches

9

et des lianes leur bloquent le passage, des ronces s'accrochent à leurs vêtements. Ils courent à toutes jambes, sans plus savoir si les halètements qu'ils entendent sortent de leur poitrine ou de celle de la bête qui les poursuit.

Enfin ils surgissent dans la clairière. Tom jette un coup d'œil derrière lui. Il ne voit ni loup ni chat sauvage, mais ne ralentit pas pour autant. Il ne s'arrête que lorsqu'ils sont à la cabane.

Devant la pile de bois, Sam manie la hache. Il fend habilement une buche en deux, tout en lançant aux arrivants :

– Ça va ?

Tom et Léa reprennent leur souffle, puis ils se mettent à rire. Bizarrement, le garçon se sent en sécurité auprès de Sam.

– Ça va ! lâche-t-il. Ça va super bien !

– Mais toi, observe Léa, tu ne devrais pas couper du bois. Et ton mal de tête ?

– Je me suis dit à moi-même : « Tu ne vas quand même pas rester au lit toute la journée ! » Mon mal de tête a cessé dès que j'ai commencé à m'y mettre. Je vous croyais partis.

– Oh, non ! proteste Tom. On a essayé de faire ton travail, mais…

– On a voulu aller à la source, continue Léa. Et on a entendu un grognement…

– Comme celui d'un loup…

– Ou d'un chat sauvage.

– Alors, on a couru à toute vitesse.

Léa soulève la cruche :

– On n'a pas rapporté d'eau, désolée !

– On n'a pas su traire la vache.

– Ni couper du bois.

– Ni faire du pain, termine Tom.

Sam leur adresse un large sourire :

– Ça ne fait rien. J'ai trait la vache, et il y avait encore de l'eau de pluie dans le seau. Le pain est en train de cuire.

– Fantastique ! s'émerveille Léa.

Maintenant que Sam va mieux, Tom ose lui demander :

– Tu auras le temps de nous aider à trouver Abraham Lincoln ?

– Bien sûr ! Je vous l'ai promis.

– Super ! Tu crois qu'il chevauche encore dans la campagne ?

– Non, il est descendu de cheval. Mais il n'est pas loin.

– Ah ? Où ça ?

– Ne vous inquiétez pas ! Je vous le
présenterai très bientôt. Venez d'abord
manger quelque chose !

Sam plante la hache dans le billot et
se dirige vers la cabane. Tom et Léa lui

emboîtent le pas. Avant d'entrer, le garçon observe le ciel : le soleil ne va pas tarder à se coucher.

Une fois dans la pièce, Sam remet du bois sur le feu. Puis il allume une lampe à huile et propose :

– Vous voulez un morceau de pain avec un peu de mélasse ?

– Oh… euh… oui, merci ! bégaie Tom.

Malgré sa hâte de rencontrer Abraham Lincoln, il a une faim de loup.

– Et après, on va chercher Lincoln, d'accord ?

– Bien sûr ! Asseyez-vous !

Les enfants prennent place sur des tabourets. Sam soulève le couvercle d'un récipient resté au chaud près du feu, et une bonne odeur de pain emplit l'air. Il apporte la miche sur la table, coupe de belles tranches, qu'il dépose sur la table. Il étale de la mélasse brune sur les grosses tartines, puise dans un seau des louches de lait, qu'il verse dans des bols en bois.

Le pain chaud accompagné de lait encore tiède est délicieux. Tom n'a jamais rien goûté d'aussi bon.

– Tu as vraiment travaillé dur, après notre départ, remarque Léa.

– J'aime que tout soit prêt pour Sarah, quand elle rentre de l'école.

– Et toi, interroge Tom, la bouche pleine, tu n'y vas pas, à l'école ?

– Depuis que papa est parti, je reste ici pour m'occuper de la maison. Mais Sarah m'apprend ce qu'elle a étudié.

– Vous habitez ici depuis longtemps ? continue Tom avec un regard sur la pièce nue.

– Depuis quelques années. On vient du Kentucky. Papa et moi avons bâti notre cabane en coupant des arbres dans la forêt et en roulant les troncs jusqu'ici.

On a tout fait nous-mêmes, sans utiliser de clous.

Tom n'en revient pas. Pour lui, c'est un travail de géant. Or, Sam ne devait pas avoir plus de sept ou huit ans, à l'époque !

– On a fabriqué les meubles de notre mieux, ajoute Sam en riant. Un jour ou l'autre, on en fera de plus beaux.

– Ceux-là sont très bien, lui assure Tom.

Il voit à présent la cabane avec d'autres yeux. Construite à la main ! Sans machines et sans clous ! C'est un vrai miracle !

– Et vous cultivez la nourriture que vous mangez, devine Léa.

– Bien sûr ! On a des champs. Et papa va à la chasse.

– Moi, je ne serais pas un bon chasseur, fait remarquer la petite fille.

– Moi non plus, renchérit son frère.

– Oh, je ne le suis pas non plus, avoue Sam. J'ai tué une dinde, une fois. Puis, quand je l'ai regardée, je l'ai trouvée si belle ! Depuis, je n'ai plus jamais visé un animal. Du coup, on manque de viande, depuis le départ de papa.

– En tout cas, le félicite Léa, tu fais du très bon pain !

– Ça, c'est vrai, approuve Tom.

Il avale son dernier morceau, vide son bol de lait et s'essuie la bouche sur sa manche. Bon. Maintenant, il est temps de partir à la recherche du président ! Dehors, la nuit commence à tomber.

– Ton travail est fini ? s'enquiert Léa.

– Non, je dois étudier mes leçons. C'est ce que je préfère. J'adore apprendre.

– Nous aussi ! s'exclame Léa. Que vas-tu étudier, aujourd'hui ?

– Léa ! chuchote Tom en essayant d'attirer l'attention de sa sœur.

Mais Sam se lève en lançant :

– Je vais te montrer le livre que Sarah m'a rapporté !

Il monte au grenier. D'en haut, il dit :

– Ce matin, j'ai étudié la construction des phrases.

Tom se penche vers sa sœur :

– Il faut qu'on s'en aille !

– Je ne veux pas le vexer. Attends qu'il nous ait montré son manuel.

– Léa ! On a une mission… !

Sam redescend déjà l'échelle. Tout sourire, il brandit un vieux manuel déchiré :

– Le voilà ! Qui veut m'interroger ?

Lecture et écriture

– T'interroger ? répète la petite fille. Avec plaisir !

– Léa… ! proteste Tom.

Mais Sam tend le manuel ouvert à Léa. Celle-ci commence :

– Voyons… Une conjonction, qu'est-ce que c'est ?

Sam se mordille la lèvre :

– Une conjonction… euh… C'est un mot invariable qui sert à relier des mots ou des phrases, comme « et », « mais », « parce que ».

– Très bien !

– Oui, très bien, intervient Tom. Par exemple : « Tom veut partir, *mais* Léa fait celle qui ne comprend pas. »

– Excellent ! approuve la fillette.

Et elle continue :

– Qu'est-ce qu'une interjection ?

– C'est un mot qui exprime un sentiment ou un ordre, comme : « hélas ! », « diantre ! », « pardieu ! ».

Léa éclate de rire :

– C'est juste ! Sauf que nous, on dit plutôt : « mince ! », « waouh ! » ou « aïe, aïe, aïe ! ».

Tom fusille sa sœur du regard :

– Exactement ! Par exemple : « *Mince*, on n'a plus beaucoup de temps ! » ou : « *Waouh !* il fait presque nuit ! » ou encore : « *Aïe, aïe, aïe !* on a une mission à réussir ! ».

Léa rit plus fort :

– Oui, c'est comme ça qu'on utilise les interjections. Qu'est-ce qu'il y a d'autre, dans ton livre ?

– De l'orthographe, des règles de grammaire. Et aussi des fables et des citations de la Bible.

– Super !

Sam reprend son manuel en soupirant :

– J'aimerais tellement avoir d'autres livres ! Je serais prêt à marcher des kilomètres pour en trouver un !

– Mon frère est comme toi. Et on adore écrire, aussi. Hein, Tom ?

– Hmm…, grommelle le garçon.

– Oh, moi aussi ! s'enthousiasme Sam. Mon père et ma mère n'ont jamais appris à lire et à écrire. Moi, j'adore ! Je trace des mots dans la terre et même dans la neige. J'écris sur la poussière avec un bâton et sur des planches avec un morceau de bois brûlé !

En entendant ces mots, Tom ne peut retenir un sourire.

Sam se penche alors pour confier à voix basse :

– Mais ce qui écrit le mieux, c'est ma plume d'oie trempée dans de l'encre de ronce !

L'espace d'un instant, Tom oublie Abraham Lincoln. Il intervient :

– Et moi, ce que je préfère, c'est inventer mes propres histoires !

– Comme moi ! s'exclame Sam. D'ailleurs, je vais vous en raconter une ! Je voulais le faire plus tôt, et puis, j'ai reçu ce coup de sabot. J'aime bien faire des farces aux gens. Mais, vous deux, vous ne méritez pas que…

Il est interrompu par des bruits de roulement et des hennissements.

– Qu'est-ce que c'est ? s'inquiète Léa.

Sam s'immobilise, les yeux agrandis par la surprise :

– Une voiture !

Il court vers la porte pour écarter la peau d'ours :

– Papa !

Et il se précipite au-dehors.

– Son père est de retour ?

Tom et Léa s'élancent eux aussi. Depuis le seuil, ils découvrent quatre chevaux attelés à un chariot chargé de meubles. Le père de Sam saute à terre et serre longuement son fils dans ses bras.

Une femme descend du banc du cocher. Trois enfants dégringolent de l'arrière de la charrette. Ils restent près de la femme, gloussant et se tortillant.

– Mon garçon, déclare le père de Sam, je te présente ma nouvelle femme, qui sera ta nouvelle maman. Et voici Matilda, Élisabeth et John tes nouveaux frère et sœurs.

– Salut ! disent ensemble les enfants.

– Bonjour, jeune homme, dit la femme. Voilà longtemps que je désire te connaître. Thomas, ton père, est très fier de toi et de ta sœur. Il dit que tu sais déjà lire et écrire.

– Il paraît que tu es aussi un bon tailleur de bois, commente John.

– Et que tu aimes raconter des histoires, ajoute Élisabeth.

– Et faire des farces ! termine Matilda.

À tour de rôle, ils lancent :

– On t'a apporté des livres !

– Un matelas de plumes !

– Une table de toilette et du savon ! Viens voir !

Les trois enfants entraînent Sam vers le chariot et commencent à lui montrer tout ce qu'ils ont transporté depuis le Kentucky.

Sam ne sera plus solitaire, désormais. Tom en est tout content pour lui. Il souffle à sa sœur :

– Viens, on va se cacher dans l'appentis ! Comme ça, on n'aura pas besoin d'expliquer d'où on vient.

Sa sœur et lui se faufilent dans l'ombre du crépuscule. Ils entrent sans bruit dans l'abri de la vache et passent prudemment la tête.

Quelqu'un crie alors :

– Papa ! Paaaaaapa !

Une fille enveloppée d'une cape à capuchon surgit en courant.

– Sarah ! Ma chérie !

Le père se précipite vers sa fille et la serre très fort dans ses bras. Celle-ci se met alors à sangloter.

– Ne pleure pas, ma chérie ! Je t'ai amené une nouvelle famille. Nous serons heureux ensemble, désormais. Viens, je vais te présenter tout le monde. Tu les aimeras, Sarah, je te le promets.

Tandis qu'ils entrent dans la cabane, Matilda s'écrie :

– Et vous avez construit tout ça de vos propres mains ?

La nouvelle mère de Sam s'émerveille :

– Quel beau travail vous avez fait !

– Oh, il y a encore beaucoup de choses à arranger dans cette maison, dit le père de Sam. On va fabriquer une vraie porte, hein, les garçons ? Et installer un vrai plancher, réparer le toit, boucher les fentes entre les rondins avec de la terre…

– Oui, papa ! approuvent Sam et John.

Thomas soulève la peau d'ours afin de laisser entrer sa femme et les enfants. Puis il les suit dans la cabane.

De leur cachette, Tom et Léa perçoivent les éclats de voix d'une joyeuse conversation.

– Quelle journée pour Sam, hein ! s'exclame la petite fille.

– Oui ! Mais nous, qu'est-ce qu'on fait, maintenant ?

– Je ne sais pas. Sam a dû nous oublier, dans toute cette excitation.

– Comme Tad quand il m'a laissé sous le lit de son père, à la Maison-Blanche !

À cet instant, Sam sort de la cabane en courant et appelle :

– Tom ! Léa !

– Mais non ! s'écrie la petite fille. Il ne nous a pas oubliés !

Elle sort de l'appentis :

– On est là !

Sam s'approche, dans la faible lumière du crépuscule. Il tient deux objets :

– Je voudrais vous offrir la plume d'oie et la bouteille d'encre de ronce. Tenez, elles sont à vous !

– Oh, non, Sam, proteste Tom. Garde-les ! Tu en as besoin.

– Prenez-les, insiste le garçon. Je tiens à vous remercier : vous êtes restés près de moi quand j'allais mal, vous m'avez aidé dans mon travail. Votre gentillesse m'a fait beaucoup de bien.

– On ne t'a pas aidé dans ton travail, proteste Léa. On n'a rien fait du tout !

– Vous avez essayé. Et surtout, on a tous les trois le même amour de la lecture et de l'écriture !

Il leur tend la plume et le flacon :

– Prenez-les ! Vous les utiliserez pour rédiger quelque chose de spécial.

– Promis !
lui assure Léa
en rangeant les
deux objets dans
la poche de son
tablier. Merci !

– De rien ! Et,
surtout, je voulais
vous dire que…

Sam n'a pas le temps
de finir sa phrase. Un
rugissement retentit, tel
le bruit d'un violent coup
de vent. Le sol tremble comme
au passage d'un train. La terre
s'ouvre sous les pieds de Tom. Il se sent
tomber dans un trou sans fond, il est
aspiré le long d'un tunnel obscur. Et il se
retrouve soudain à la lumière du jour.

11

Surprise !

Tom et Léa regardent autour d'eux. Ils sont sous l'arbre où la cabane magique s'est posée, à l'endroit où ils se tenaient quand ils ont bu la gorgée de potion. Si l'air est frais, le soleil brille. Une brise légère agite les branches.

– L'effet de la magie est passé, murmure Tom, tout étourdi. Et on n'a pas achevé notre mission.

– On n'a même pas dit au revoir à Sam, regrette Léa. On l'a à peine remercié de nous avoir donné son encrier et sa plume…

La petite fille sort les deux objets de la poche de son tablier :

– Ils étaient si précieux pour lui !

– C'est bizarre, fait remarquer Tom. On cherchait une plume, et Sam nous en a donné une.

Lâchant une exclamation, sa sœur pointe le doigt vers l'allée cavalière :

– Regarde !

Un homme de haute taille, vêtu d'un costume noir et coiffé d'un haut-de-forme, s'approche à grands pas. Il tourne la tête de droite et de gauche comme s'il cherchait quelqu'un.

– Enfin ! s'exclame Tom.

– Monsieur le Président ! appelle Léa.

Elle remet la plume et la bouteille d'encre dans sa poche et s'apprête à courir vers Abraham Lincoln.

– Attends, la retient son frère. Qu'est-ce qu'on va lui dire ?

– On trouvera bien, assure la fillette en se dégageant.

Elle s'élance en criant :

– Monsieur le Président !

Abraham Lincoln lève les yeux dans sa direction. Alors, il se fige sur place et fixe les enfants d'un air stupéfait, presque effrayé.

« Qu'est-ce qu'il a ? s'étonne Tom. On dirait qu'il a vu un fantôme ! »

Sa sœur et lui s'arrêtent devant Lincoln.

– Bonjour, monsieur, murmure timidement Léa.

Tom, lui, reste muet.

Le président paraît profondément perplexe. Son regard gris posé sur les enfants, il souffle :

– Ainsi, c'est bien *vous* ! Quand Tad m'a répété vos noms, je n'y ai pas cru.

– Que voulez-vous dire ? demande Léa.

– Vous savez qui je suis ?

– Bien sûr ! Vous êtes Abraham Lincoln, le président des États-Unis.

– Oui. Mais j'ai passé une après-midi avec vous il y a très longtemps. Et vous avez disparu brusquement sous mes yeux.

– Nous ?

– Oui, vous. Devant notre cabane, dans l'Indiana.

– Dans l'Indiana ?

– Le jour où mon père a amené à la maison ma belle-mère et mes nouveaux frère et sœurs, continue Lincoln.

Léa comprend soudain :

– Oooooh… ! Vous êtes… Sam ?

– Vous êtes Sam ! répète Tom, stupéfait.

Le président opine de la tête.

– Alors, reprend la petite fille en riant, lorsqu'on vous a dit qu'on cherchait Abraham Lincoln, vous nous avez joué un tour en nous faisant croire que vous vous appeliez Sam !

Abraham Lincoln murmure :

– Je ne vous ai pas revus depuis ce jour, il y a des années de ça. Et vous n'avez pas changé. Comment est-ce possible ? Êtes-vous des anges ? Êtes-vous un rêve ?

Tom est trop abasourdi pour répondre. « Pourtant, ce n'était pas il y a des années, pense-t-il. C'était aujourd'hui ! Ou peut-être pas… »

La magie a l'art de brouiller le temps !

Sa sœur affirme :

– Nous sommes de vrais enfants, pas des anges. Mais vous pouvez vous rappeler cette rencontre comme un rêve, mêlé d'un peu de magie !

Abraham Lincoln hoche lentement la tête. Puis il sourit :

– Je me souviens ! Vous avez essayé de faire mon travail. Vous avez entendu une bête sauvage dans le bois. Vous m'avez appris que vos interjections étaient : « mince ! », « aïe, aïe, aïe ! » ou « waouh ! ».

– Exactement, pouffe Léa.

– Et que vous aimiez apprendre, lire, écrire des histoires.

Tom retrouve l'usage de la parole :

– Comme vous ! intervient-il. C'est pour ça que vous nous avez donné votre plume et votre bouteille d'encre.

Léa sort les deux objets de la poche de son tablier. Lincoln les observe :

– Oui, je les reconnais. Je les avais fabriquées moi-même.

– Waouh ! lâche Tom.

Il vient de réaliser que Sam – en réalité Abraham Lincoln – leur a donné *une plume* ! La comptine de Teddy et Kathleen prend soudain tout son sens. Le garçon sait exactement quoi dire, maintenant :

– Et nous, nous vous avons apporté un message d'espoir.

Il prend son carnet dans sa poche.

Léa comprend aussitôt :

– Mon frère a raison ! Attendez !

Elle ouvre la bouteille d'encre, plonge la plume d'oie dedans et la tend à Tom en lui soufflant :

– Qu'est-ce que tu vas écrire ?

Le garçon chuchote en retour :

– Eh bien… qu'après la guerre civile viendront la paix et l'unité.

– Et que les Noirs ne seront plus les esclaves des Blancs, ajoute la petite fille.

Tom se concentre. Enfin, à l'aide de la plume d'oie, il trace quelques lignes sur une page de son carnet :

Ne perdez pas espoir ! Ce pays vivra en paix. Un jour, il sera une seule grande nation. Et tous ses habitants connaîtront la liberté.

– Vous nous avez dit d'utiliser votre plume et votre encre pour rédiger quelque chose de spécial, déclare solennellement Tom.

Il déchire la page et la tend au président des États-Unis d'Amérique :

– Voici !

Abraham Lincoln lit. Puis il regarde les enfants. Son visage s'est détendu. Les yeux brillants, il souffle :

– Waouh !

Tom et Léa éclatent de rire.

Le président demande :

– Ça se passera vraiment ainsi ? Vous me le promettez ?

Tom hoche la tête et dit :

– Attendez ! J'ai oublié quelques mots.

Il reprend le papier et ajoute :

Nous vous le promettons.
Tom et Léa

Un appel leur parvient alors :

– Papa !

C'est Tad. Il court sur l'allée cavalière, suivi de son frère Willy.

Tom déclare :

– Monsieur le Président, nous devons vous quitter.

– Vraiment ?

Un nuage de tristesse passe sur le visage d'Abraham Lincoln. Il murmure :

– Bien sûr, je comprends.

– Nous n'oublierons jamais les heures que nous avons passées avec vous, Sam, lui assure Léa.

– Moi non plus, je ne vous oublierai pas.

Ses deux fils sont tout près, maintenant. Tom remet le papier au président avant de s'éloigner avec sa sœur.

– Au revoir ! leur lance Abraham Lincoln.

Et tout en les saluant de la main, il glisse le papier dans sa poche.

Tom et Léa grimpent à l'échelle en vitesse. Arrivés dans la cabane, ils vont regarder à la fenêtre. Ils voient Lincoln prendre ses fils dans ses bras. Ils rient tous les trois.

– C'est un bon père, dit la petite fille.

– Oui, approuve Tom. Bon, partons vite avant que le capitaine Tad n'essaie de prendre la cabane à l'abordage !

Léa rit :

– Je voudrais bien voir sa tête quand il découvrira que la cabane a disparu !

Après avoir ramassé le livre sur le bois de Belleville, elle pose le doigt sur l'image et déclare :

– Nous souhaitons revenir chez nous !

Le vent se met à souffler, la cabane à tourner.

Elle tourne plus vite, de plus en plus vite.

Puis tout s'arrête, tout se tait.

La plume de l'espoir

Un petit vent printanier chuchote entre les branches.

– On est de retour ! s'exclame Tom.

Les enfants sont de nouveau dans le bois de Belleville, habillés comme d'habitude.

Le garçon ouvre son sac à dos et en tire le livre sur Abraham Lincoln. Léa fouille dans les poches de son blouson :

– Ouf ! Elles sont bien là !

Elle montre les deux cadeaux d'Abraham Lincoln : la petite bouteille d'encre de ronce et la plume d'oie.

147

– Super ! approuve son frère.

– Avant de rentrer à la maison, je voudrais regarder dans le livre : il y a peut-être une image représentant Tad et Willy.

Elle feuillette l'ouvrage. Au bout d'un instant, elle lâche :

– Oh, non !

Elle referme le volume et regarde son frère, les larmes aux yeux.

– Qu'est-ce qu'il y a ? Qu'as-tu lu ?

– Que William – Willy – est mort de la fièvre typhoïde en 1862.

– Alors, calcule Tom, quand on l'a rencontré, il n'avait plus qu'un an à vivre…

– Pauvre Abraham Lincoln !

– Et pauvre Tad !

– Oui, se souvient Tom. Lui, il va perdre son papa quatre ans plus tard, puisque le président Lincoln sera assassiné en 1865.

– C'est trop triste, soupire Léa.

Tom ne sait plus quoi dire. Tout l'agacement qu'il a ressenti contre Tad a disparu. Il regrette de ne pas s'être montré plus gentil avec lui.

– Notre mission n'a pas servi à grand-chose…, murmure sa sœur.

– Si ! L'espoir est la plus belle chose de la vie !

– Comment ça ?

Tom explique :

– On ne sait pas pourquoi il arrive tant de malheurs. Mais peut-être qu'un jour, on comprendra le sens de tout ça.

– Quand ?

– Je ne sais pas.

Le garçon soupire :

– C'est un mystère. Il faut l'accepter.

Léa approuve de la tête :

– En tout cas, on rapporte la plume.

– Et on a donné de l'espoir à Abraham Lincoln.

– Il a été un grand président, hein ?

– Oui. Et un bon père.

Tom va déposer la plume dans le coin de la cabane, près de la rose d'émeraude et de la fleur jaune et blanche.

– On n'a plus qu'un seul objet à trouver pour sauver Pirlouit, se réjouit Léa.

– Ce sera pour demain, lui assure son frère.

– Oui, demain ! Aujourd'hui, je serai contente de retrouver ma vie normale : prendre le petit déjeuner avec papa et maman...

– Aller à l'école, ajoute Tom.

– On a de la chance de pouvoir y aller.

– Et d'avoir une belle maison, avec le chauffage et l'eau courante !

– Et de bons lits !

Léa se dirige vers la trappe. Tom passe les lanières de son sac à dos sur ses épaules en ajoutant :

– Et des tas de livres !

Les enfants reprennent le chemin de leur maison. Le vent secoue les branches mouillées, et les gouttes d'eau étincellent comme si une pluie de diamants était tombée sur le bois de Belleville.

Fin

La Cabane Magique